죠죠를 읽은

문학동네

JOJO'S BIZARRE ADVENTURE PART 8 JOJOLION 12

©2011 by LUCKY LAND COMMUNICATIONS / SHUEISHA Inc.
All rights reserved.

First published in Japan in 2011 by SHUEISHA Inc., Tokyo.
Korean translation rights in Republic of Korea arranged by SHUEISHA Inc.
through Shinwon Agency Co. and The Sakai Agency Inc.
Korean edition, for distribution and sale in Republic of Korea only.

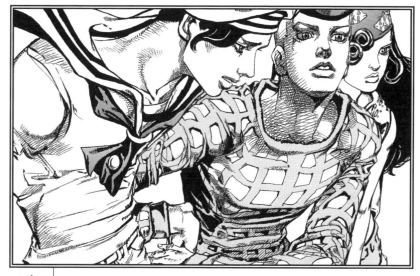

volume
12 하토의 남자친구

JoJolion ★★★★★ 죠죠의 기묘한 모험 Part8
Jojo's bizarre adventure

아라키 히로히코
Hirohiko Araki & Lucky Land Communications

모리오초 인물 소개

Jojo's bizarre adventure, part 8

★★★★★
JoJolion
★

히가시카타 죠스케(추정 19세)

'벽의 눈'에서 발견된 신원 불명의 청년. 어깨에 별 모양의 반점이 있다. 자신이 누구인지 전혀 기억하지 못한다. 히가시카타가에 거둬져 '죠스케'라는 이름을 받는다. '벽의 눈'의 능력으로 키라 요시카게와 융합한 것이 판명됐다.

히로세 야스호(19)

모리오초에 사는 대학생. '벽의 눈'에서 우연히 발견한 죠스케의 신원을 알아내기 위해 함께 행동한다.

키라 요시카게(29)

죠스케와 비슷한 풍모를 지닌 청년. 죠스케가 발견된 시점에 이미 같은 곳에서 죽은 상태로 있었다는 사실이 나중에 판명됐다.

키라 홀리 죠스타(52)

키라 요시카게의 어머니. TG대 병원에 입원중.

히가시카타 죠빈(32)

히가시카타가의 장남. 매일
매일이 여름방학인 것처럼
사는 타입.

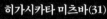

히가시카타
노리스케(59)

히가시카타가의 가장. 히가
시카타청과의 제4대 점주.

히가시카타 미츠바(31)

장남 죠빈의 아내.

히가시카타 죠슈(18)

히가시카타가의 차남. 야스호
의 소꿉친구로 같은 대학에
다닌다. 야스호를 좋아한다.

히가시카타 츠루기(9)

장남 죠빈과 미츠바의 아
들. 액막이를 위해 여자애
차림으로 지내고 있다.

히가시카타 하토(24)

히가시카타가의 장녀. 모델.

니지무라 케이(22)

키라 요시카게의 여동생.
히가시카타가의 비밀을 알
아내고자 가정부인 척 숨어
들었다.

히가시카타 다이야(16)

히가시카타가의 차녀. 죠스
케를 좋아한다.

지난 줄거리

S시 모리오초. 지진 후 갑자기 마을 안에 나타난 '벽의 눈'이라고 불리는 용기물 근처에 묻혀 있던 수수
께끼의 청년은, 그를 발견한 히로세 야스호와 함께 자신의 신원을 알아내기로 한다.

유일한 단서는 자신과 몹시 닮은 인물이라는 키라 요시카게였지만, 조사 끝에 그의 시신을 '벽의 눈'에
서 발견한다. 단서를 잃은 청년은 야스호의 소꿉친구인 히가시카타 죠슈의 집에 거둬져 '죠스케'라는
이름을 받는다.

조사를 진행하던 중 등가교환의 효과를 가진 과일 '로카카카'의 존재가 밝혀지자, 죠스케는 그 과일이
자신의 신원을 밝힐 열쇠임을 확신하고 출처를 찾기 시작한다. 그리고 모리오 스타디움의 직원, 다이엔
지야마 아이쇼가 로카카카를 은밀히 고가에 팔고 있었다는 것을 알아내기에 이른다.

로카카카 나무가 스타디움 안에 있다고 추측하는 죠스케. 그러나 그곳으로 가던 도중 죠스케와 키라
를 알고 있다는 여자, 사쿠나미 카레라가 나타난다. 죠스케는 자신을 쿠죠 죠세후미라는 이름으로 부
르는 카레라에게 정보를 캐물으려 했지만, 그녀는 이내 모습을 감추고 마는데…

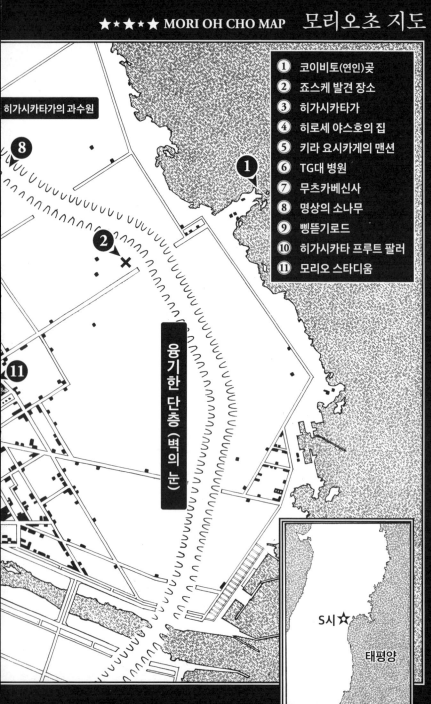

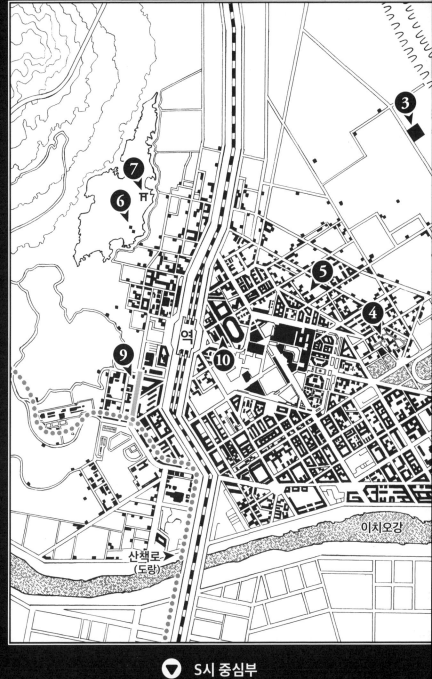

이치오강

산책로→
(도랑)

S시 중심부

차례★
하토의 남자친구

volume
12

하토가 남자친구를
데리고 왔다 ①

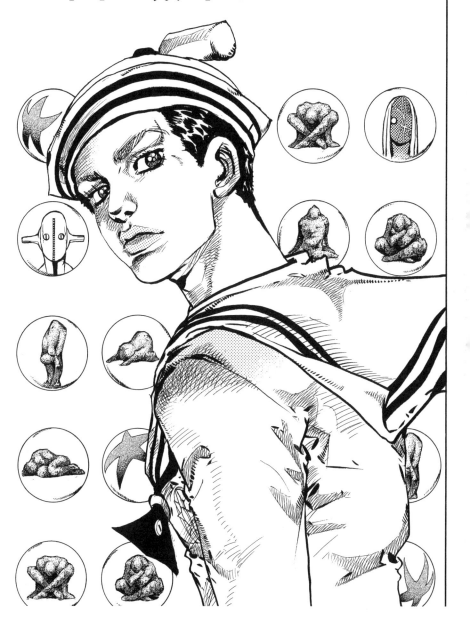

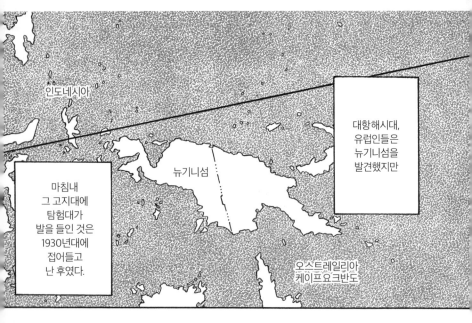

인도네시아

뉴기니섬

오스트레일리아
케이프요크반도

대항해시대,
유럽인들은
뉴기니섬을
발견했지만

마침내
그 고지대에
탐험대가
발을 들인 것은
1930년대에
접어들고
난 후였다.

1938년,
오스트레일리아인들에
의해 '로카카카'라는
식물이 발견되었다.

나무처럼 보이지만
정확히는
과일이 나는
여러해살이풀로,
성장하면
2m 정도의
높이가 된다.

하나의 가지에
한 개에서
세 개의
열매가 맺힌다.

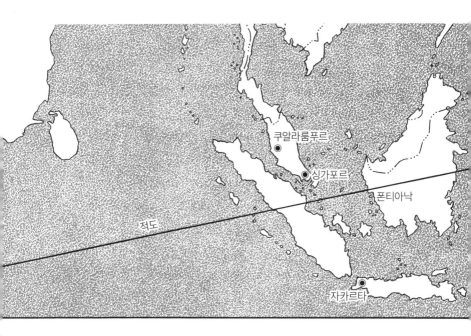

쿠알라룸푸르

싱가포르

폰티아낙

적도

자카르타

이가 빠져 식사를 하지 못하던 노인이 그 열매를 꿀꺽 삼키자

그러나 "그 여성의 젖꼭지에서는 '모래'가 나왔다". …또…

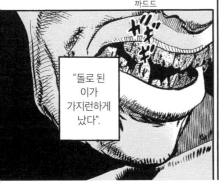

까드드

"돌로 된 이가 가지런하게 났다".

"불임으로 고민하던 섬의 여성이 그 과일을 먹자 임신했다"는 기록도 있다.

5만 년도 더 되는 옛날부터 살고 있는 뉴기니 원주민들에게도 '로카카카'는 몹시 희귀한 과일로

제철이 되면 남자들이 산속으로 찾으러 나선다.

그런 관찰 정보가 있지만

제2차 세계 대전이 일어나 일본군이 뉴기니섬의 절반을 점령하자…

'로카카카'라는 식물에 관한 보고는 사라져버렸고… 곧 전설이 되었다.

'죠스케'는

지금 여기…

이 모리오초에서

'츠루기' 짱과…

'나'와

동일한
식물일까?

그와 같은
'로카카카'라는
이름을
처음 들었다.

동일한
기원을 가진
과일일까?

전혀,
어느 모로 보나
위법은 아닌
"과일".

......
......
......

현 주소는 '모리오초 아자무츠카베 33'. T학원 학생 (20세).

히가시카타가에서 걸어서 15분 거리에 살고 있어.

쿠죠 죠세후미

KUJO JOSEFUMI

나일지도 모르기 때문이야.

누구야?

죠스케는 뭐 때문에 이 사람을 찾고 있어?

왜 경찰도, 아무도 찾지 않는 걸까…? 대지진이 일어났는데도…

하지만…

만약 내가 "죠세후미"란 인물 이라면…

…… ……

아무도 날 찾지 않아…

그리고 '카레라'를 죽이려고 쫓아온… 그 쌍둥이.

'바위 인간'.

키라 요시카게를 알고 있을 뿐… 갑자기 나타난, 도무지 믿을 수 없는… 그 여자— '카레라'의 정보야…

날 '쿠죠 죠세후미'라 부른 건 '그 여자' 뿐이야.

아니…

?

그럼 형은
어디 있냐?!

두분 다
오늘은 아직
못 봤는데.

아빠
못 봤냐?
어? 어디
있냐고!

야!
죠스케!

잠깐만
있어봐.

찰싹   움찔   꼬옥

아빠랑 모두한테 소개해주고 싶어서.

데리고 와버렸어 ~♡

얼씨구

······
······
······

재밌네에~

웅얼웅얼

······
······
······

갑작
스럽게…

죄송
합니다.

방문해서,

다모 타마키,
S시 출신…
…입니다.

웅얼웅얼 웅얼웅얼

째릿

웅얼웅얼
뭐라고 하는지
들려야
말이지이~!

아빠 눈 보고
얘기하셔어ㅡ

웅얼

웅얼웅얼 웅얼웅얼

23세입니다.

직업은
…

세탁소를
경영하고
있습니다.

여기
모리오초
에서…

후후후

다모칸
세탁소
라고
합니다.

……
……

스윽

웅얼…

인사를 할 때는…

니다.

아무쪼록…

잘 부탁 드립

파앗

선글라스 좀 벗고 하시지!

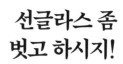

앗!

……
……

……
……

둥실…

!?

홱

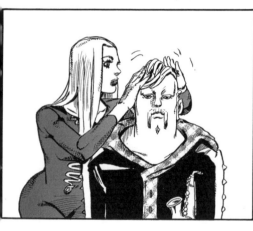

나로서는
노코멘트.

딱히…

아…
아니.

왜 그래?
뭔데?! 뭔데?!
뭔데?! 뭔데?!
뭔데?!

…노리스케
씨나 죠슈가
별말
안 하면…

응!!
죠스케,
무슨
일이야?

여…

여기.

저…

이건

거기서 파는
초콜릿이 들어간
양갱입니다.

저희 집
근처에
화과자
가게가
있는데…

이거
맛있지
—!

받아
주시길.

ボン
ボン

ボン
ボン

웅얼웅얼 웅얼 웅얼 웅얼웅얼

찐득찐득

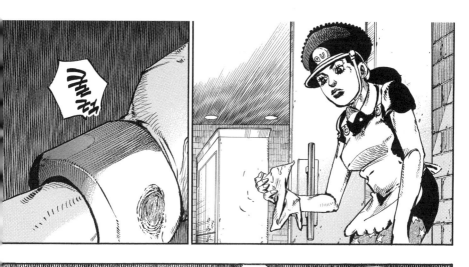

#048
하토가 남자친구를
데리고 왔다 ②

하토짱이
아름답게
자랐듯이

꾸욱 꾸욱

꽈직

꼬옥

진짜로
손가락이
미끄러
졌어.

일부러
그런 게
아냐.

...뭘
만진 건지
몰라도
묘하게
손가락이
미끄럽단
말이야.

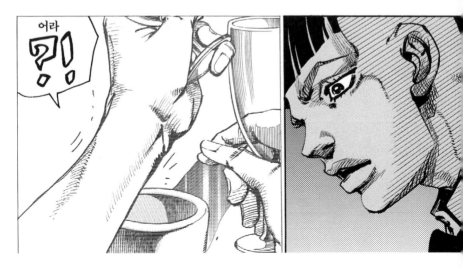

어라

?!

마침 '여권' 사진을 찾았어.

"죠세후미"란 사람의 사진,

그것 말고는 없지만 딱 한 장… 최근 거야.

나랑 얼굴이 비슷해?

아니면 비슷한 데가 있어?

'그래서' 라니?

있었구나…

그래서?

얼굴 사진을 여권에서 찾았어?

아빠,
내 얘기 좀
들어봐!

손님이
'세탁'해달라고
가게에 맡기고
가서는

'세탁소'엔
말야.

전혀 찾으러
오질 않는
옷들이
잔뜩 있대!

손도 안 댄
브랜드 상품이
산더미처럼 있대!
수천만 엔이나 하는
밍크 모피 코트도
찾으러 오질 않는대.

엄청
많다니까!
믿어져?

보통
그런 걸
까먹나?

아얏~
아빠!
심술궂게
차아아암
~~~!

그걸
이 친구가
선물해줘서
좋아하게
됐다는
거냐?

그럼
웃써!

그렇군… 음! ……? 예… 역 뒤쪽입니다.

다음에 가봐야지. 가게는… 오래 됐나?

무츠카베 신사 쪽인가?

"다모칸 세탁소"라고?

자네의 그 세탁소는 모리오초 어디쯤 있나?

제가 최근 리모델링 했습니다.

나… 거기서 어떤 디자이너 일로 촬영을 했었거든.

촬영 스튜디오 근처야.

디자이너의 액세서리를 착용하고 있었는데

목에 목걸이를!

갑자기 줄이
끊겨져서 사방으로
흩어져버린 거야.

난
잘못한 거
없는데.

그런데
디자이너랑
카메라맨이

난리를
치는 거
있지!

액세
서리를
일부러
망가뜨리고
싶은 사람이
있겠냐고.

파ー앙

그때
촬영에 쓸
세탁물을
갖다주러
'이 사람'이
와 있었어…

'이 사람'이
흩어진 부품을
하나하나 찾아서
주워주더니…

사진 속
디자인을
보면서

글쎄,
직접 다시
맞춰줬지
뭐야.

쳇! 원래대로
고쳐줘서
좋아하게
됐다는
거야?

틀렸네요-♡
아까워라~!

따ー앙

. . .
사랑해
라는 글자가
들어가 있지
뭐야아아
〜〜!!

고쳐준
그 목걸이가
글쎄!

디자인이
좀 다르더라고.
자ー알 보니까
말이야!

* '다이스키'는 한국어로 '사랑해'라는 뜻. (역주)

그치ー♡
칸짜아
ー앙!**

대박이지이이ー
지ー인
짜아아!

꺄아아아악ー!

** 타마키(環)를 달리 읽은 애칭. (역주)

짜안

말씀 중에 죄송하지만 잠깐 나갔다 올게요.

전 지금 어디 좀 가볼 데가 있어서요.

저,

노리스케 씨.

저딴— 허접한 남자로 말이야 아아아~

아빠.

젠장~~ 저런 남자로 괜찮은 거야? 여자들은 말이야아~

멋져♡

큭…

......
......
......

아아… 그래.

그전에… 니지무라 씨 못 봤니?

안 보이는데… 좀 불러주고 갈래?

응!

저도…

잠깐…

네.

ボン

ホン

첫번째
문이에요.

오른쪽.

복도

화장실 좀
다녀오겠
습니다.

죠슈.

오른쪽
이라고요!

그쪽이
아니라

화장실은
첫번째 문,
오른쪽!

응?

핵

타앙

……
……

고고고고

뭐냐고
이거어.

뭐야,
이게?

꿀렁

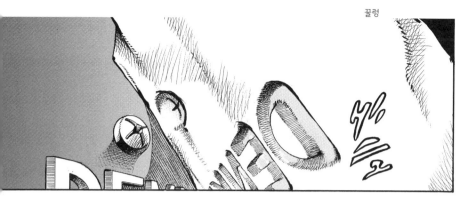

푸욱 푸욱

스륵 물컹

소…
손의 피부가
이상해…

뭐야,
이거?

호물…

아…

확

힉

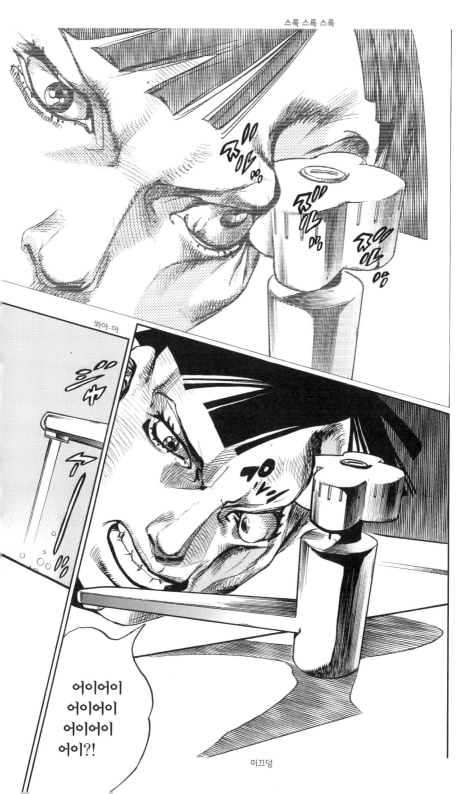

쏴아아아아아아

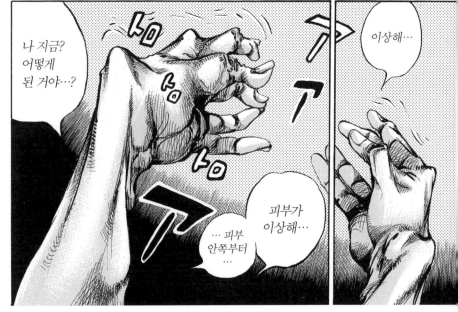

아아아

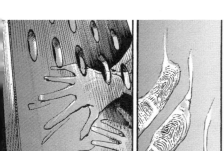

아아

찐득찐득
찍힌
'지문'…

모…몸
안에서부터
…야.

왜 내…가?!
…그 자식,
'뭘 하러'
이 집에
온 거지?

그…
그 자식
인가…?

아아아

설마…
하토 누나를
이용해
이 집에
온 건가?!

'뭘' 한 거지?

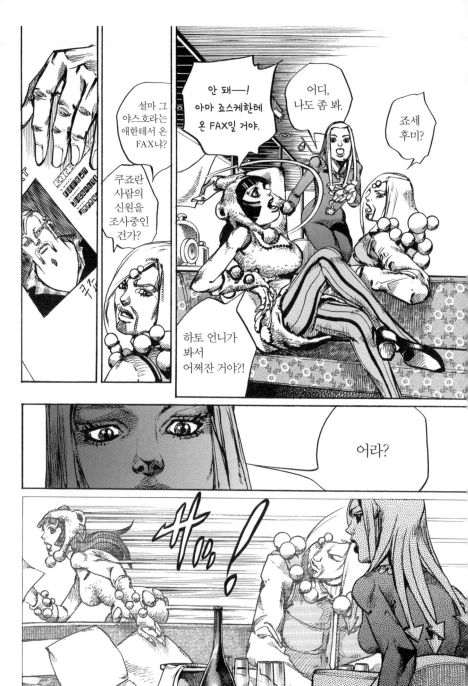

파앗!

도도도

칸짱…
?

도도

#049
하토가 남자친구를
데리고 왔다 ③

…

방금. 이… 있잖아,

하토짱…

여기가…
당신이 태어나
자란 곳이라고…
생각하면…

정말로…
멋진 가족에
훌륭한 집이야.

그게…
무슨
뜻이야?
우후후♡

아잉

당신이 정말로
사랑받으며 자랐
다는 걸 잘 알겠어…

뭔데?
칸짱.

한 가지
부탁이
있어.

집은
2년 전에 다시
지은 거야.

하지만…
태어나
자란 곳이긴
해도…

…야기야마
요츠유란
꽤 유명한
건축가의
설계였어.

맞다… 그거! FAX! 대체 그게 뭐야?

앗!

거기에 프린트된 사진은…

자기 동생 다이야짱이 FAX 종이를 갖고 달려 나가는 걸 봤는데…

FAX를 확인해보자.

자기가 현관까지 가서… 그걸 갖고 와주지 않겠어?

현관?

동생이 바닥에 떨어뜨렸을 지도 몰라.

갖고 와줘.

그럴지도 모르지…

하지만 동생이… 돌아오는 게 늦는걸. 부르러 가서 갖고 와주지 않겠어?

갖고 와달라니… 다이야는 아무데도 안 가. 다시 이리 돌아올걸.

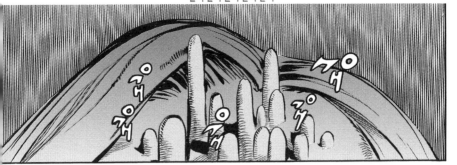

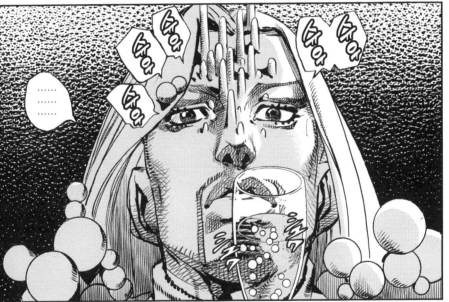

슈우 슈우

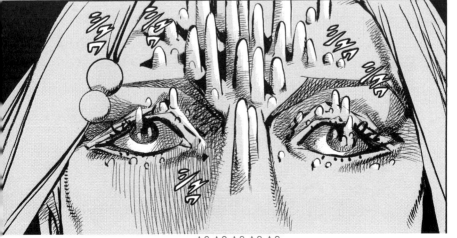

슈우 슈우 슈우 슈우 슈우

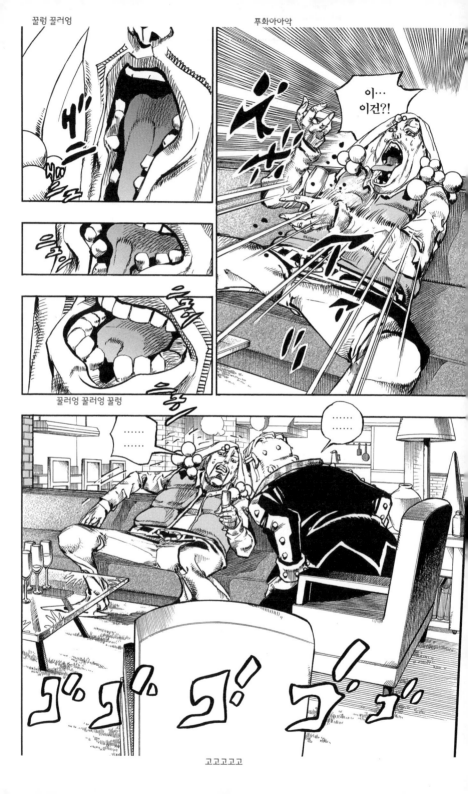

모든 일은 복합적이지.

모든 것이 이어져 있기에 동기나 목적이 단 하나뿐이란 보장도 없어.

내 경우…

노리스케 씨, 들어봐.

'세 가지' 문제를 단 한 번에 해결하고자 이렇게 이 집에 찾아온 거야.

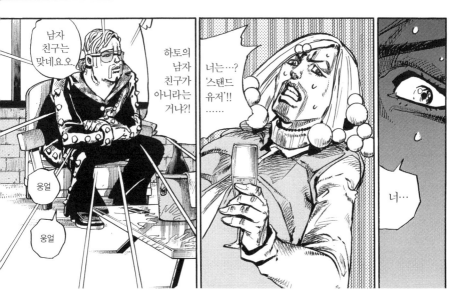

남자 친구는 맞네요오…

하토의 남자 친구가 아니라는 거냐?!

웅얼

웅얼

너는…? '스탠드 유저'!! ……

너…

몸도
마음도
내 거야.

내 말이면
뭐든지
듣거든.

하지만 이미
내 손안에
있지.

당신 딸은
말이야…

도도도도

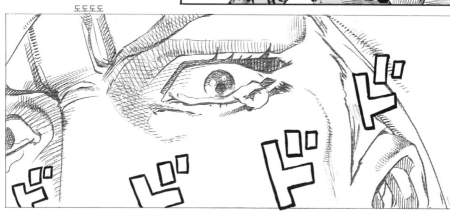

그 네 명 중에는
건축가도 있고
쌍둥이 형제도
있지. …그리고
경비원까지.

최근
이 마을에서
내 지인이
갑자기 모습을
감췄어.

나는
그 '네 명'을
찾아 이 집에
온 거야…

연락도 없이
잇달아
'네 명'이나.

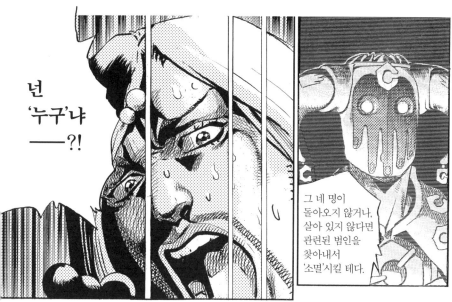

넌
'누구'냐
—?!

그 네 명이
돌아오지 않거나,
살아 있지 않다면
관련된 범인을
찾아내서
'소멸'시킬 테다.

대로오-옹

꿀러어어어-엉

미끌

자아, 자아,
자아, 자아.

우웃!

콸콸 콸콸 콸콸

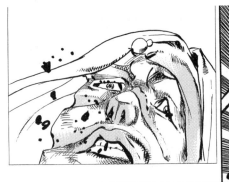

큭!

우헉!

…이 히가시카타가에 '범인'이 있는 것은 확실해.

가장인 당신이 그것을 각오해줘야 겠다…

그런 얘기야.

나의 스탠드명은 '비타민C'— 당신을 극한까지 '물렁하게' 만들지.

노리스케 씨, 아직 당신이 '범인'이라고 단정짓지는 않았어. 하지만

당신은… 죽은 '키라 요시카게'와 친했던 모양이니까 말이야.

그러니까 설명할 책임은 확실히 '다하라'고.

지금… 내가 이 좁아터진 의자에 앉아 구태여 이런 말을 하고 있는 것은 당신이 대답해줬으면 해서야.

그래서 말인데…

나는 방금 '목적'을 하나 말했어… 앞으로 두 가지 더 있지만 말이야…

2년 전―(2009년)

키라 요시카게(27)
직업―화물선 선의先醫

……
……

5B 2512

5B 2512

5B 2512

컨테이너
위로 그 친구가
떨어지는 바람에
안에 있던
화물이
충격을 받아
덩달아 뒤집힌
겁니다.

부상자는
'그 친구'
한 사람밖에
없습니다.

아뇨…

무너진
컨테이너
…

그럼 이건
'누구'의
피라는
건지…

내용물은
암석인가
…?

……
……

탁 탁

헉!

파-앗

서류에도
정원 조경용
'암석'이라고
기재되어
있어요.

세관 검역과
보험 조사에
문제가 없으면

재포장
해서
입국할
겁니다.

아, 그건
'암석'이었죠~
청소한 뒤
안쪽에 정리해
뒀습니다.

어젯밤 사고로
무너졌던
이 컨테이너의
'화물' 말인데…

좋은
아침
…

……
……

딸깍 딸깍

…06…2.

31·2

딸깍

P o r t   M o r e s b y

2512

T

5B

31206 −2.

5B 2512·
T31206…2.

정원 조경용
'암석'이라고
되어 있는데,

출항지는
'포트
모르즈비'.
파푸아
뉴기니.

다른 컨테이너에는
이 회사가 주문한
어떤 '과일' 나무도
있어. 여러 차례
수입했었군.

나왔다… 의뢰인은
'히가시카타
프루트 팔러'.
…일본 S시
모리오초의
과일 회사군.

'과일'
회사…

일본에 도착하는 게
기대되는걸.
이건 **바위**가 아냐…
살아 있는 인간의
'**혈액**'이지.

두웅

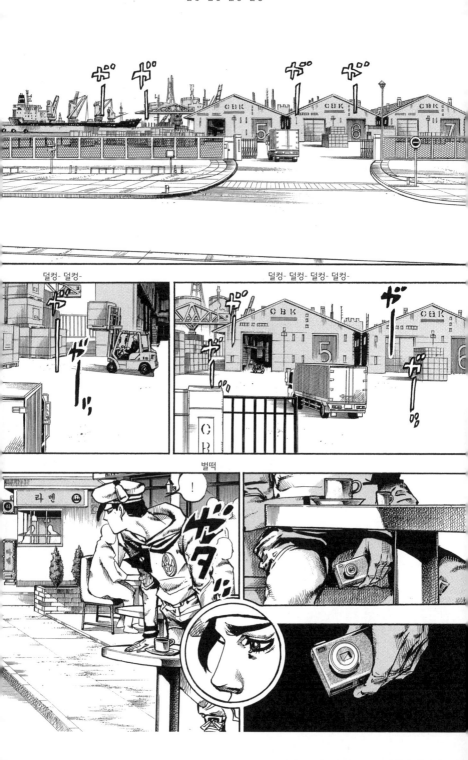

앙?

말했을
텐데…
왜 여기서
라멘을 먹고
있는 거지?

너
말이야…

엄청 살이
탔잖아.

눈에
띈다고.

후루룩후루룩

저녀석의 이름은 다이넨지야마 아이쇼(27).

호적상으로는 그렇다… 직업은 경비 회사 직원.

본토에 상륙한 뒤 조사했다.

동료도 있는 게 틀림없어… 저건 '스탠드 능력'과는 별개의 존재야.

배에선 피부가 '바위 같은' 인간이었지.

'대외적' 으로는 말이야…

자신은 밀항한 주제에 어느 모로 보나 전혀 위법이 아닌 '수입 과일'을 굳이 몰래 숨어서 판매하고 있어.

… 게다가 …

… '히가시카타가' 와 손잡고…

기업이나 정부에서도 아직 알아차리지 못한— 터무니없는 "이익"과 "이유"가 내재되어 있는 거야.

아니, 그 이상의 무언가지.

마약 성분 같은 건 아니야.

세관 검역을 합법적으로 통과한 걸 보면

저걸 "한 개" 빼앗아주마.

저 "과일"을…

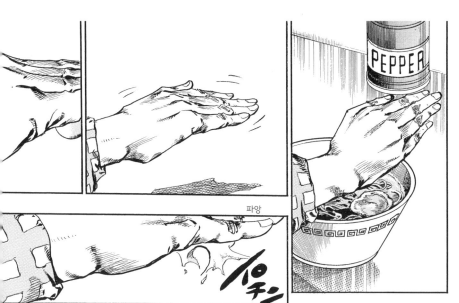

파앙

스윽 스윽

사락사락

후

후

후

후루루루

후루루루

하토짱!

저 녀석… 분명.

후루룩 후루룩

라멘을
먹고 있는
저 꼬맹이를…
난 알아…

도도도도

와장차아아앙

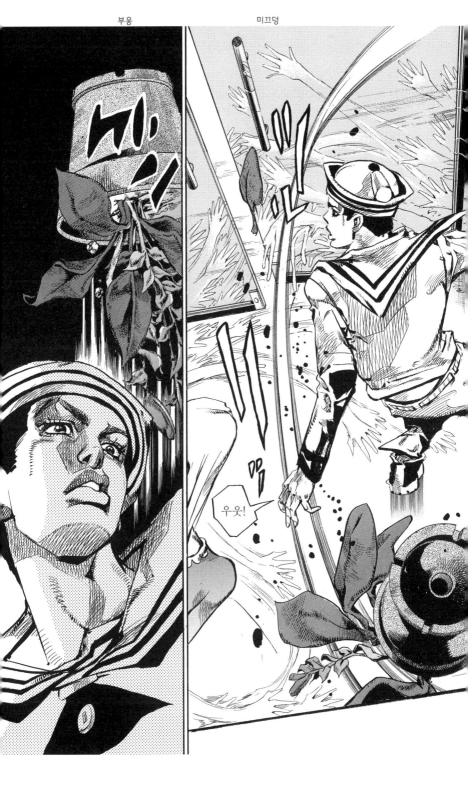

미끌미끌

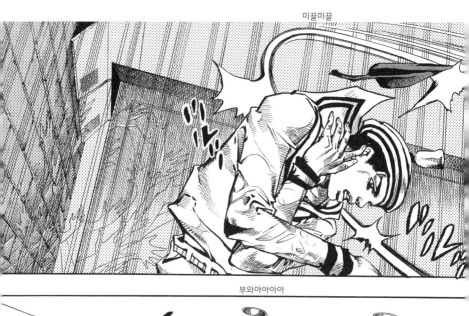

부와아아아아

다모 타마키
(자칭 23세)

스탠드 명 ── **비타민C**

능력은 ──
결계를 치듯이
방의 창문이나 문에 지문을 묻혀
그것을 건드린 인간,
또는 그 안에 있는 인간을
얇은 비닐 막처럼
흐물흐물하게 만든다.
그와 동시에 스탠드 능력도 봉쇄한다.

#050
비타민C와
킬러 퀸 ①

아가씨…
이 근처에
살아?

저 별장에서
지금부터
파티를 여는데

괜찮으면
아가씨도 올래?

야!!

수영복 귀엽네.
요트도
있으니까
크루징이라도
하자고.

가도
돼?

파티?

참방참방

애 엄마였냐.

난 또...

그런 데서 놀면 벌레 물린다——!

펄럭

꿀꺽꿀꺽 꿀꺽

뒤적뒤적

이혼 신고서

이혼

또르르 또르르

벌떡

두리번

쿵

허우적

허우적허우적

헉!

멀리 가면
엄마
화낸다고
했지!

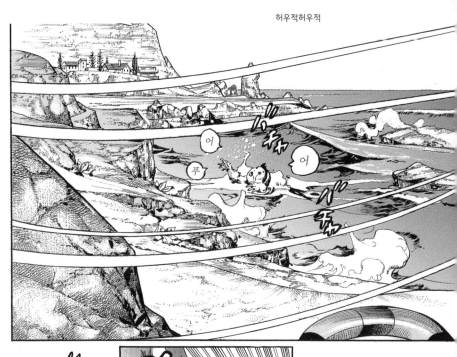

좌좌좌좌 좌좌좌좌　　　　　　좌좌좌좌 좌좌좌좌

허억 허억 허억 부들부들

엄마…

차차차

어…

차차차차차차차

차차차차

꾜악

두우우웅

좌좌좌좌좌 좌아아아

죠세후미
이이──!!

죠세후미!!

드륵 드륵 드륵 드륵

드륵

힐끗

'타이타닉' 보러 가기로 했잖아?

엄마, 야근 마치고 지금부터 우리랑

응? 나?

분명 이 근처에 혈전血栓이 있을 거야. 요시카게, 이리 좀 와볼래.

그거 상영시간 세 시간이나 돼. 슬슬 가봐야 한다고.

걔… 이미 죽었잖아?

스윽

그렇게까지 말한다면야.

……
……

하지만 반드시 혈전이 있을 거야. 찾아줘.

책임은 내가 질게.

잔말 말고 해!

고오!!

킬러 퀸!

고오

와- 와- 와- 와- 와-

영화는 혼자 보러갈까.

화분째
갖고 온 건…

신선도가
중요하기
때문이지.

모…못 믿겠어.

그 과일에 정말 그만한 가치가 있다고?

당신이 정할 일이지… 그쪽이 돈을 마련했다고 해서 난 과일을 갖고 여기 온 거야.

돈을 낼 것인지 말 것인지, 그건…

글쎄…?

싫으면 돌아가겠어.

질질질

하지만 다시 한번, 마지막으로 분명히 말해 두겠어!

이제 먹어도 돼.

당신은 유명인이니까. 이걸로 거래는 성립이야.

난 당신을 믿어… 이 돈은 세어볼 것도 없겠지.

또르르

결심은 서셨나?

행운에는 반드시 리스크가 따르지… 그 리스크가 뭔지 예측할 순 없지만 주로 머리 쪽에 나타나는 모양이야… 반드시 일어나… 안구가 바위처럼 변해 시력을 잃는 사람도 있지.

그 과일로 고친 몸은 '등가교환'된다!

속삭속삭

3,728g

덜컹 타앙

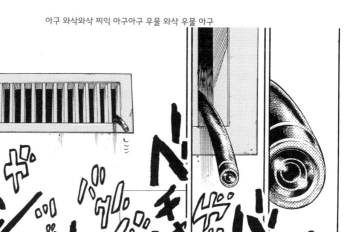

그때 접근한 게 이 '다이넨지야마 아이쇼'였어.

'세이텐 버디즈' 구단 소속, 2009년 기준 연봉 3억 엔짜리 투수지. 작년에 머지않아 메이저리그 행이 결정되려던 참에 오른쪽 어깨를 다치고 '부상자 명단'에 이름을 올렸어.

이 남자는 '이와키리 아츠노리', 24세, 통칭-'아-군'.

완전한 재기는 절망적으로 보이는 상황 이었지.

그 과일은
돈이
될 거야.

같이
행동하지
않겠어?

......
......

그것만이
아닐 텐데.

자존심
때문에
말 못 하는
거야?

홀리 씨가 병에
걸린 것 같던데…
빠르게 악화되고
있는 건가?

난
알고 있어.

어머니의
'병'을 낫게
하기 위해
당신은 그 '과일'이
필요한 거지?

물론이야.
거들게 해줘…

홀리 씨를
위해…

뭐든지
내게
명령해도
돼.

만약 홀리 씨네
병원으로 실려가지
않았더라면… 홀리
씨가 날 구해주지
않았더라면…

늘 생각해
왔어.

어렸을 적
그 여름날.

난…
지금… 여기
존재하지
않을걸…

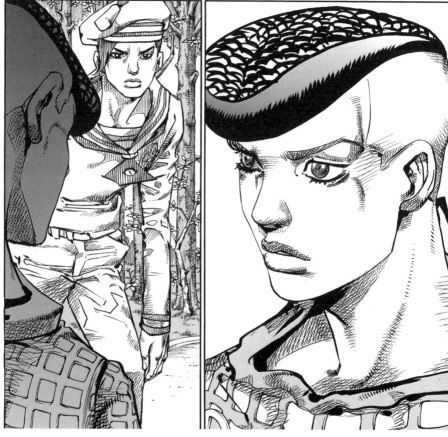

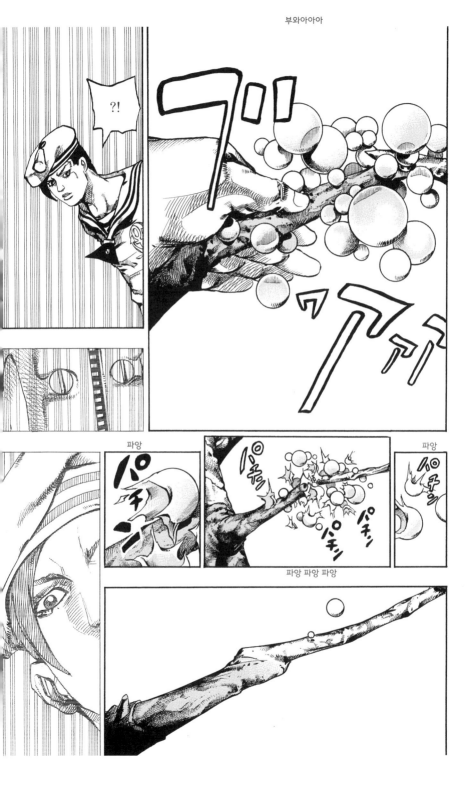

ゴゴゴゴゴ

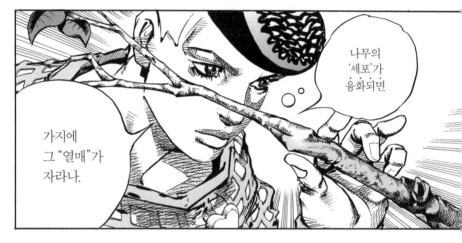

히히히
히히히

우히히히

ㄱㄱㄱㄱㄱ

고고고고고고

알아차리지
못하는 사이에
훔치면 돼…

죠죠의 기묘한 모험 (1~5부) 전63권

『죠죠의 기묘한 모험』 1~5부.
1987년부터 연재중! 1억 부의 누적 발행부수! '스탠드' 개념을 도입해
능력배틀물의 원조가 되었고, 단순한 힘겨루기에 그쳤던 종전 만화에 두뇌싸움과
트릭 등 다양한 요소를 도입해 소년만화의 새로운 지평을 연 전설의 만화!

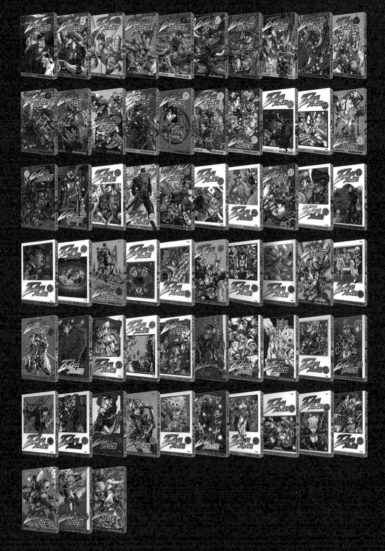

스톤 오션 (6부) 전17권

『죠죠의 기묘한 모험』 6부.
남자친구와 드라이브 도중 교통사고에 휘말린 쿠죠 죠린은
누군가의 모함으로 징역 15년 형이 확정되고 만다.
한편 아버지 쿠죠 죠타로가 맡긴 불가사의한 펜던트에 손을 찔리자
죠린에게 알 수 없는 변화가 일어나기 시작하는데…!

스틸 볼 런 (7부) 전24권

『죠죠의 기묘한 모험』 7부.
때는 1890년, 미국에서 세기의 레이스 'SBR'이 개최된다.
총 거리 약 6,000km에 이르는 인류 역사상 첫 북미대륙 횡단 승마 레이스!
불행한 사고로 하반신이 마비된 천재 기수 죠니 죠스타와
회전하는 철구를 무기로 가진 의문의 사나이, 자이로 체펠리.
우승상금 5천만 달러를 목표로, 뜨거운 모험가들의 싸움이 지금 시작된다!

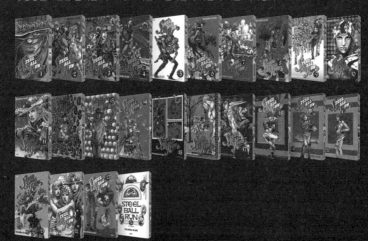

옮긴이 **김동욱**

홍익대학교 출신. 게임 및 IT 기술 번역으로 2000년대 초 번역과 연을 맺었다.
이후 애니메이터 등 다방면으로 서브컬처 업계에 종사하다가 출판번역에 입문하여
현재는 전업 번역가로 활동하고 있다. 옮긴 책으로는 『스톤 오션』 『스틸 볼 런』 등이 있다.

죠죠의 기묘한 모험 Part 8

죠죠리온
제12권 하토의 남자친구

초판인쇄	2023년 6월 16일
초판발행	2023년 6월 23일
지은이	아라키 히로히코
옮긴이	김동욱
책임편집	조시은
편집	김지애 이보은 김지아 김해인
디자인	백주영
마케팅	정민호 김도윤 한민아 이민경 안남영 김수현 왕지경 황승현 김혜원
브랜딩	함유지 함근아 박민재 김희숙 고보미 정승민
제작	강신은 김동욱 임현식
원화수정	윤정아
펴낸곳	㈜문학동네
펴낸이	김소영
출판등록	1993년 10월 22일 제2003-000045호
주소	10881 경기도 파주시 회동길 210
전자우편	comics@munhak.com
대표전화	031-955-8888 ❘ 팩스 031-955-8855
문의전화	031-955-3576(마케팅) ❘ 031-955-2677(편집)
ISBN	978-89-546-9275-5 07830
	978-89-546-8211-4 (세트)
인스타그램	@mundongcomics
트위터	@mundongcomics
페이스북	facebook.com/mundongcomics
카페	cafe.naver.com/mundongcomics
북클럽문학동네	bookclubmunhak.com

www.munhak.com